Dyddiau da

www.peniarth.cymru

Testun: Non ap Emlyn, 2018
© Delweddau: Canolfan Peniarth, Prifysgol Cymru Y Drindod Dewi Sant, 2018

Golygyddion: Lowri Lloyd ac Eleri Jenkins

Dyluniwyd gan Rhiannon Sparks

© Lluniau: Shutterstock.com. t.4 ZUMA Press, Inc. / Alamy Stock Photo. t.8 Brazil Photo Press / Alamy Stock Photo. t.8 Frances Roberts / Alamy Stock Photo. t.8 Richard Levine / Alamy Stock Photo. t.9 Heritage Image Partnership Ltd / Alamy Stock Photo. t.13 Blue Jean Images / Alamy Stock Photo. t.16 Performance Image / Alamy Stock Photo. t.16 Marshall Ikonography / Alamy Stock Photo. t.16 Xinhua / Alamy Stock Photo. t.16 jamiejamiejohnson.ca

Cyhoeddwyd yn 2018 gan Ganolfan Peniarth

Wyt ti'n gwybod?

Cynnwys

Dwy ochr y byd   2

Y gwanwyn   4

Yr haf   8

Yr hydref   12

Y gaeaf   15

Mynegai   18

Dwy ochr y byd

25 Rhagfyr

Diwrnod grêt! Cawson ni ginio Nadolig - twrci, tatws rhost a llysiau a phwdin Nadolig. Yna, aethon ni am dro. Roedd hi'n oer iawn, iawn felly gwisgais i fy nghot a fy menig newydd. Gobeithio bydd eira yfory.

Dyddiadur Jo, yng Nghymru

25 RHAGFYR

Diwrnod gwych. Cawson ni farbeciw blasus yn yr ardd - sosejis, cyw iâr a salad a hufen iâ i bwdin. Yna, aethon ni i'r traeth i chwarae pêl a nofio. Bobl bach, roedd hi'n boeth!

Dyddiadur Chris, yn Awstralia

Yr haf neu'r gaeaf?

Pan mae hi'n haf yn Hemisffer y Gogledd, mae hi'n aeaf yn Hemisffer y de.

haf

gaeaf

Hemisffer y Gogledd

y cyhydedd

Hemisffer y De

haul

Pan mae hi'n aeaf yn Hemisffer y Gogledd, mae hi'n haf yn Hemisffer y De.

Pan mae hi'n wanwyn yn Hemisffer y Gogledd, mae hi'n hydref yn Hemisffer y De.

Pan mae hi'n hydref yn Hemisffer y Gogledd, mae hi'n wanwyn yn Hemisffer y De.

3

Y gwanwyn

Mae pobl yn dathlu'r gwanwyn ar draws y byd.

Mae rhai pobl yn Zenica, Bosnia, yn cynnal Gŵyl Wyau wedi eu Sgramblo ym mis Mawrth.

Mae cannoedd o wyau'n cael eu sgramblo a'u rhannu.

Mae'r wy'n symbol o fywyd newydd – bywyd newydd y gwanwyn.

Yn India a Nepal, mae pobl yn dathlu dechrau'r gwanwyn ym mis Chwefror neu fis Mawrth. Yn ystod yr ŵyl, maen nhw'n taflu paent dros ei gilydd.

Y diwrnod cyn yr ŵyl yma, mae gŵyl arbennig arall yn Jaipur, India - Gŵyl yr Eliffantod.

Mae pobl Awstralia yn dathlu'r gwanwyn ym mis Medi.

Yn Canberra, prifddinas Awstralia, mae gŵyl flodau rhwng canol mis Medi a chanol mis Hydref.

Mae gŵyl bwysig arall hefyd
- Gŵyl y Gwyntoedd ar
Draeth Bondi, traeth enwog
yn Awstralia.

Dyma gyfle i fwynhau'r
gwanwyn - ym mis Medi.

7

Yr haf

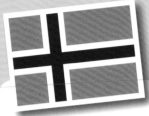

Mae diwrnod hiraf y flwyddyn ar Fehefin 21 yn Hemisffer y Gogledd ac mae pobl yn cael hwyl yn dathlu.

Yn Norwy, lle mae hi'n olau am 24 awr, mae pobl yn cynnau coelcerth fawr i ddathlu'r diwrnod hiraf.

Mae pobl Efrog Newydd yn dathlu'r diwrnod hiraf drwy wneud ioga yn Times Square.

Mae gŵyl wahanol iawn yn digwydd yn Ne Corea ym mis Gorffennaf.

Beth sy'n digwydd yn yr ŵyl?

9

Yn Hemisffer y De, mae pobl yn dathlu'r
Calan neu'r Flwyddyn Newydd yn yr haf.

Beth: Tân gwyllt ar Bont
       Sydney, Awstralia, a'r
       Tŷ Opera wedi ei oleuo

Pryd: Ionawr 1 – yn yr haf!

Dyma hwyl!
Carnifal Rio
de Janeiro –
ym Mrasil!

Beth: Fflôts hyfryd,
gwisgoedd lliwgar,
cerddoriaeth, hwyl

Pryd: Ym mis Chwefror fel
arfer – yn yr haf!

11

Yr hydref

Mae'r hydref yn amser i ddiolch. Yng Nghymru, mae rhai pobl yn cael swper arbennig ym mis Medi neu Hydref i ddiolch am y bwyd sydd wedi bod yn tyfu yn y gerddi a'r caeau.

Mae pobl Gogledd America'n dathlu Diolchgarwch ym mis Tachwedd ac maen nhw'n cael cinio arbennig - twrci a llysiau ac yna pei pwmpen.

Mae pobl China yn dathlu Gŵyl Ganol Hydref neu Gŵyl y Lleuad ym mis Medi neu fis Hydref.

edrych ar y lleuad lawn

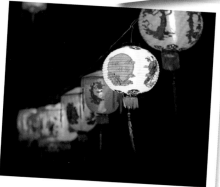

llusernau

cacennau'r lleuad

dawnsio dawns y ddraig

rhoi a derbyn anrhegion

13

Dyma un o wyliau'r hydref
yn Seland Newydd.

Beth: Gŵyl balwnau
Ble: Hamilton, Ynys y Gogledd,
           Seland Newydd
Pryd: Yn yr hydref – ym mis Mawrth
Beth: Gwylio'r balwnau'n codi ac
           yn teithio, mynd am reid
           mewn balŵn, cerddoriaeth,
           ffair, bwyd, sioe balwnau,
           tân gwyllt

14

Y gaeaf

Mae pobl y Sami yn byw yng Ngogledd Norwy, Sweden, y Ffindir a Rwsia. Ym mis Chwefror bob blwyddyn, maen nhw'n cynnal gŵyl arbennig o'r enw Jokkmokks Marknad - marchnad Jokkmokk.

ras ceirw

stondinau

dawnsio

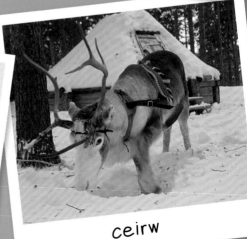

ceirw

Yn Ottawa, prifddinas Canada, mae gŵyl arbennig iawn yn y gaeaf - ym mis Chwefror. Mae pob math o bethau'n digwydd:

chwarae a chael hwyl

ras gwelyau

twrnamaint hoci iâ

sglefrio ar hyd y gamlas

cerfio rhew

16

Mae gwyliau'r gaeaf yn Hemisffer y De hefyd.

Dyma Ŵyl yr Eira neu'r Fiesta de la Nieve, yn Bariloche, yn Ariannin. Dyma Ŵyl y Gaeaf ym mis Awst.

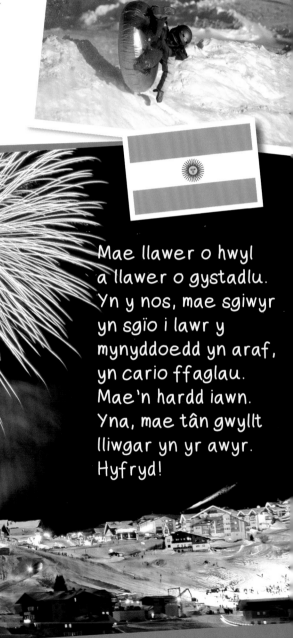

Mae llawer o hwyl a llawer o gystadlu. Yn y nos, mae sgiwyr yn sgïo i lawr y mynyddoedd yn araf, yn cario ffaglau. Mae'n hardd iawn. Yna, mae tân gwyllt lliwgar yn yr awyr. Hyfryd!

17

Mynegai

Ariannin	17
Awstralia	2, 6, 7, 10
Bosnia	4
Brasil	11
Canada	16
China	13
Cymru	2, 12
De Corea	9
Efrog Newydd	8
(y) gaeaf	3, 15-17
Gogledd America	12
(y) gwanwyn	3, 4-7
(yr) haf	3, 8-11
Hemisffer y De	3, 10, 17
Hemisffer y Gogledd	3, 8
(yr) hydref	3, 12-14
India	5
Nadolig	2
Nepal	5
Norwy	8, 15
Sami	15
Seland Newydd	14